다이어트, 개꿀이네

29세 여교사의 보디빌딩 도전기

다이어트, 개꿀이네_29세 여교사의 보디빌딩 도전기

발 행 | 2023년 00월 00일
저 자 | 헤찌

펴낸곳 | 심다
주 소 | 전남 순천시 역전2길 10
전 화 | 061. 741. 4792
이메일 | simdabooks@naver.com

ISBN | 979-11-93475-02-7 (03810)

다이어트, 개꿀이네

29세 여교사의
보디빌딩 도전기

헤찌 지음

차 례

프롤로그   6

제1꿀 뚱뚱해서 시집가기 파이다고?   11

제2꿀 수험생인데 미모가 왜 필요해?   19

제3꿀 다이어트 도전기_ 소식, 홈트   27

제4꿀 이 미친 운동과 즐기지 못한 괴리감   35

제5꿀 스스로 식단표를 짜야 한다.   49

4

제6꿀 나를 알고 주변을 알아야 한다.　　　57

제7꿀 유산소도 하다 보니 되더라　　　61

제8꿀 운동을 이어가는 재미　　　69

제9꿀 규칙적이고 공개된 장소의 확언　　　77

제10꿀 마침내 내 말을 닮아가는 미래　　　81

프롤로그

"헤찌쌤처럼 많이 먹고 해야지."

– 저는 먹는 속도가 느려서 많이 안 먹는데요? 조금씩 자주 먹지.

"아니, 잘 먹으니까 보기 좋다는 뜻이지."

나는 몸매에 대한 평가를 자주 듣는 편이었다. 물 흐르듯이 듣다가도 불쑥불쑥 불쾌했다.

"헤지쌤, 살 좀 빠졌지? 다이어트해요? 보기 좋다."

– 모르겠는데요. 몸무게 안 잰 지 오래됐어요. 그리고 일하다가 화나면 과자 주위 먹어요.

"살 빼려면 화나는 그런 순간을 참아야 해."

칭찬도 싫었다. 170cm가 넘는 큰 키는 살이 쪄도 금방 태가 났고, 살이 빠져도 금방 눈에 보였다.

내가 가진 여러 가지 중에서 몸매에 대한 평가는 쉬웠다. 다른 노력보다 유독 쉬웠다.

그럴 때마다 나는 대답을 한참 고민해야만 했다.

"운동을 극한으로 해 봐서 마른 몸을 좋아하지 않아요."

라고 해야 할까. 혹은,

"네. 지금은 남편이랑 같이 맛있는 음식을 먹는 게 행복하네요."

라고 해야 할까.

어떤 대답을 내놓든 간에 내 몸을 상대가 평가하는 사실은 유쾌하지 않았다. 내 몸을 봐달라고 운동이나 포즈를 배우러 간 것도 아닌데, 왜 그렇게들 쉬울까.

비단 통통한 사람뿐만 아니라 마른 사람한테까지도 그 무례는 곳곳에 뻗치고 있다. 나는 말랐을 때도 농담한답시고 '소말리아 난민'이냐는 소리도 들었다.

나는 그래서 더더욱 몸의 태에 대해서는 언급하지 않으려고 한다. 나에게 몸을 봐달라고 하면 신체의 기능적인 측면에서의 협응만을 이야기한다.

뭐가 됐든 이 책은 운동을 전공한 사람이 아닌 지극히 일반적인 직장인, 그것도 사무직에 가까운 직장인이 고민하고 노력하는 과정을 담았다고 할 수 있다.

누구나 시작할 수 있다는 용기를, 그러나 성과를 내기까지는 아무나 할 수 없다는 동기를 주고 싶다. 평범한 사람의 노력을 보고 '나도 할 수 있겠다.' 라는 생각이 든다면, 이 책의 목적은 성공했다.

더불어 이 책을 내기까지 큰 응원과 지지를 해준 남편과 부모님, 이순신 도서관에 감사드린다.

No.121 최혜진   비키니 돌

제1꿀

뚱뚱해서
시집 가기
파이다고?

2004년 무더운 어느 여름날.

친구네 가족 행사에 따라간 적이 있다. 높은 가지의 매미가 유난히도 싱그럽게 울어대던 날이었다. 그 행사에 대체 왜 갔는지는 기억나지 않는다. 그냥 동네에서 친구랑 놀다가 가족 행사가 있다는 말에 따라갔던 듯하다. 나는 그저 친구랑 같이 있고, 친구랑 노는 게 좋았던 여중생일 뿐이었다.

"안녕하세요."

어수선한 분위기 속에서 친구를 따라 인사를 했다. 어른들은 정신없이 바빠 보였다. 그 속으로 내뱉은 수줍은 인사는 공중에서 낱낱이 떠돌았다.

그때, 나랑 가장 처음으로 눈이 마주친 할머니가 있었다. 할머니는 나를 지긋이 쳐다보더니 입을 여셨다.

"야는 뚱뚱해서 시집가기 파이다~"

이렇게.

그 장소에서 내가 가장 먼저 들은 말이었다. 악의는 없어 보였다. 그저 인사치레로 뱉으셨겠지.

그러나 그 생각대로 내뱉은 말에, 나는 어떻게 반응해야 할지 감이 잡히지 않았다.

이 민망한 상황을 어떻게 해결해야 할까.

그 방법을 몰라서 말문이 탁 막혔다. 방금 만들어진 상황이 어떤 상황인지 파악하는 데만 한참이 걸렸던 것 같다. 그리고 내가 선택한건 멋쩍게 웃는 것뿐이었다.

대체 그 당시의 나의 몸은 어땠을까? 어땠길래 초면인 사람에게 뚱뚱해서 시집가기 별로란 소리를 들었을까?

키는 173cm, 몸무게는 58kg이었다. 다분히 정상 체중 범위였다. BMI로도 정상이었다.

운동도 꽤 즐겼던 여중생이었다. 저녁을 먹고 나면 가족들이랑 강변을 따라서 걷는 것을 좋아했고, 주말에 친구들이랑은 종종 산을 올랐다. 혈기 왕성한 10대 중반이었기 때문에 몸이 무겁다고 생각한 적이 없다. 그래서 살을 빼야겠다고 생각하지도 않았다.

그런데 어째서 중학생에게 시집이라는 단어가 나오는 걸까. 그 당시의 내가 생각했을 때도 시집이란 단어는 적절하지 않았다. 너무 먼미래인 '시집가기'가 내게 적합한지를 생각해야 해?

우리는 살아가면서 성별이 여성이란 이유로, 나이가 어리면 어린대로, 나이가 있으면 나이가 있는 대로 무례를 경험하곤 한다. 무례의범위가 너무나 다양해서 언제 어디서 올지 가늠할 수가 없다. 남들도나와 똑같아져야 안심하는, 그런 일부의 사람이 만든, 그런 사람들의집단이 만든 단어가 '결혼 적령기'다.

그러나 이 '결혼 적령기'라는 단어도 우스운 게 현실이다. 그저 본인이 만들어놓은 이상적인 상태라면 결혼하기 어렵다고들 한다. 심지어 이상에 가까운 모습이라도 시기와 질투는 어디서 나올지 알 수가 없다.

"그냥 보이는 걸 말한 건데?"

라고 말하는 사람도 있다. 그러나 이러한 단어와 인식은 또 다른 폭력으로 다가온다. 몸매를 평가하는 무례는 이때만 들은 것이 아니다.

2014년이었다. 딱 10년이 지난 시점이었다.

" 좀 아줌마 같아"

가장 처음 마음을 내줬고, 보고 싶어 했던 남자에게서 들은 말이다.

'아줌마 같다'라는 게 과연 무엇일까. 그는 아무 말이 물끄러미 쳐다보는 나의 눈치를 보았다. 하지만 침묵을 유지하면 안 되는 것처럼, 그는 다급하게 자신의 의견을 이어서 말하였다.

"여자는 말이야. 뱃살이 하나도 없어서 남자를 만족시켜야 할 의무가 있어."

무려 2014년이었다. 2004년이 있었고, 그로부터 10년이 더 지났는데도 여자에 대한 시선은 변함이 없었다. 이 남자의 논리적인 척하는 개소리는 내가 20대 중반에 들었던 말이다.

그저 아랫배가 있어서 아줌마 같다는 건가. 그때도 다분히 정상체중인 58kg이었는데?

2014년으로부터 또 10년이 지난 지금이야 그런 말을 들었다면 귀때기를 때리고,

'격 떨어지는 놈이 뭐라 씨부려쌌노'

하겠지만 그땐 처음이었다. 새로운 상황을 입력하는 데는 꽤 시간이 걸렸다. 그렇다면 아줌마 같단 말은 나쁜 의미일까? 내 주위엔 좋은 아줌마들만 있는데?

여러 곳에서 남의 살집에 대한 시선이 뜨겁다. 사람이 자기 인생이 재미가 없으면 남의 인생에 대하여 왈가왈부하는 재미로 산다고 한다.

그런 관점이라면 다들 자기의 몸이 재미없을 수도 있겠다. 그래서인지 몸에 관한 입방아는 유독 쉽다. 몸매에 대한 평가는 너무나 자유롭다.

건강한 몸을 위한다고 치더라도 남의 몸에 대하여 함부로 말하는 건 조심해야 할 텐데, 몸의 모양에 대해 함부로 말하는 무례는 곳곳에서 발생한다.

그 남자랑은 시간의 터널을 어떻게 벗어났는지 기억이 잘 나지 않는다. 분명한 건, 어찌 됐든 저 날을 기점으로 연이 끊어졌던 듯하다.

나는 이 사건들을 계기로 주변 사람들의 다이어트 현황을 알아보기 시작했다.

그런데 나만 모르는 사실이 있었다. 주변의 친구들은 이미 다이어트를 다 하고 있었다.

몸이 마르고 아니고는 별 상관이 없었다. 왜냐하면 몸이 말랐는데도 장 청소 약을 주기적으로 먹는 친구도 있었기 때문이다. 그 친구의 몸은 166cm에 43kg였다.

직장동료의 집에 간 적이 있다. 주방 가득 채워져 있는 다이어트 쉐이크 통과 전원이 뽑힌 냉장고. 낯선 주방의 모습이었다.

" 냉장고 전원이 왜 뽑혀있어요?"

그분께서는 당일 약속이 없으면 종일 굶는다고 하였다. 163cm에 42kg이었다.

나만 몰랐다. 모두가 다이어트를 하고 있다는 사실을. 주변의 분위기가 이러니까 나도 다이어트를 시작해야 할 것만 같았다.

키 173cm를 찍은 이후로 한 번도 변하지 않은 체중 58kg.

내 몸은 그렇게 시집가기 파인 몸인 걸까?

스물 둘의 여름과 스물 셋의 봄.
짧은 바지도 곧잘 입고 다니는 보통 몸의 대학생이었다.

스물 셋의 여행.
얇은 옷도 잘 입고 다니는 보통 몸의 대학생이었다.

수험생인데
미모가
왜 필요해?

나는 어린 시절부터 선생님이 꿈이었다. 인복이 타고난 걸까. 운이 좋게 훌륭한 담임선생님들을 만나면서 내 재능을 확인했었고, 그것을 사회로 돌려주고 싶었다. 내가 알고 있는 것을 설명하고 알려주는 게 재밌었다. 그리고 나의 말로 상대가 변하는 모습을 보면 쾌감이 컸다. 맞벌이로 바쁜 부모님을 대신하여 내가 학생들의 엄마가 되어 주리라.

그래서 손끝을 있는 힘껏 뻗었다. 학교 교단에 서기 위하여 손을 바들바들 뻗어 닿고자 했다. 그러나 내 배 앞에 있는 여러 장애물 때문에 움켜잡진 못하였다. 그 장애물은 내 안의 불안이었을까, 아니면 내 잘못된 공부 방법 때문이었을까.

나는 수험생 생활을 꽤 오래 했다. 고3 수험생 생활이 끝나자마자 바로 수험생 생활이 이어졌다고 해야 할까. 대학 4년이 다 수험생 생활이었던 듯하다.

대학 졸업반이 되었을 땐, 58kg이던 몸무게는 68kg이 되었다. 뭐 그것쯤은 괜찮다. 나는 얼른 토끼 같은 우리 아이들에게 들려줄 이야기가 많으니까.

원래 수험생은 10kg쯤은 찌는 거지 뭐.

우리 학교는 사범대 졸업생에게 사범대 전용 고시원을 무료로 제공했다. 그곳에는 일명 '세븐일레븐'의 규칙이 있었다. 그렇다면 세븐일레븐이란 무엇일까?

세븐일레븐 규칙이란, 오전 7시부터 오후 11시까지 공부해야 하는 고시원이다.

수험생은 오전 7시까지 고시원 방을 비워야 한다. 오전 9시까지 알아서 샤워하고 아침밥을 먹으며 독서실에 착석해야 했다. 오전 9시까진.

샤워실에 줄이 길었든 뭐든 그건 개인 사정이다. 무조건 오전 9시에는 자리에 있어야 했다. 그리고 불시에 출석 체크를 자주 했었는데, 30분 이상 자리를 비우면 결석이었다.

불시 출석 체크는 30분에 한 번 할 때도 있고, 3시간에 한 번 할 때도 있었다. 그때 없으면 그냥 결석이다. 화장실에 갔든 뭐든 결석이다. 그리고 오후 11시까지 출석이 확인되어야 했다. 엎어져서 자더라도 오후 11시에 내 자리는 지키고 있어야 계속 이용할 수 있었다.

14시간을 앉아 있지 못했다면 다른 이유는 필요가 없었다.

'너는 규칙을 어긴 소란자니까 강제 퇴소야!'

가 되었다. 취향 같은 건 없었다. 수험생이 공부 외에 뭐가 필요한가? 수면실이라 불리는 그 큰방에서 잠깐 눈을 붙이고 일어나야 했다. 그 방은 2층 침대 20개가 꽉꽉 찬 40인실의 방이다. 40명이 한 공간에서 자는 방이다.

학습실은 어떠한가? 한 공간에 수백 개의 책상이 빼곡하게 놓인 독서실이었다. 내 몸뚱이 하나 이외의 여유 공간은 사치였다. 공부하는 사람에게 공간이란, 엉덩이를 놓을 곳 말고는 모두 사치였다.

이런저런 규칙이 있고, 어찌하다 보니 나도 첫 시험을 한 달 정도쯤 앞두고 강제 퇴소를 당했다. 이것이 바로 나의 0.33점 저주의 시작이었다.

너무나 아깝게 0.33점 차이로 탈락한 나의 시험. 그 0.33점이 시작된 해이다.

점수를 확인하고는 바로 짐을 싸버렸다. 그리고 노량진으로 올라갔다. 노량진은 참 묘한 공기가 머무는 공간이었다.

경부선을 타고 내린 서울역에서는 멀쩡했다. 멀쩡한 채로 멀쩡하게 가다가도 노들역이 되면 숨이 턱 막혔다. 노들역은 노량진역의 전역이다.

참 이상했다. 알 수 없는 회색 공기가 머무는 곳. 나는 이곳에서도 10시간 넘게 앉아 있어야 했다. 그리고 비빌 언덕 하나 없는 타지에서 '잘 버텨야 한다' 라는 생각이 강했다. 그래서 세 끼니를 모두 챙겨 먹었다. 눈을 뜨고 있는 시간은 모두 앉아 있는 시간인데, 세 끼를 살뜰하게 챙겼다. 어느새 나의 몸무게는 76kg이 넘어가고 있었다.

1년간 분투한 노량진 생활이었다. 그 노량진의 결과는 또 0.33점 차이 탈락이었다. 손끝에 간당간당 닿았다가 날아가 버린 꿈은 나를 한동안 멍하게 만들었다. 이대로 머무를 순 없어. 전환이 필요했다. 회색 도시에서 부리나케 도망쳐 나와 본가로 왔다.

부모님은 내게 아무것도 묻지 않으셨다. 살이 왕창 쪄서 돌아온 딸에게 입을 대지도 않으셨다. 그저 따뜻하게 밥을 차려주고, 방을 청소해주시며 차분한 생활을 이어가셨다. 나는 그것이 참 따뜻했다. 노량진에서 부모님과 안부 전화는 종종 했지만, 살갗으로 느껴지는 따뜻함은 정말이지, 큰 위로였다.

이대로 있을 순 없었다. 몸이라도 움직여서 뭔가를 해야 했다. 부끄러웠다. 나는 그렇게 20대의 나를 끊임없이 채찍질했다. 뭐라도 해야 했다. 몸을 끄집어내어 체중계 위로 발을 올려보았다. 82kg이라는 숫자가 반짝이고 있었다. 무엇을 할지 생각할 겨를이 없었다.

나는 이 상황을 바꾸고 싶었다. 몰입할 뭔가가 필요했다. 그렇게 내가 선택한 것은 운동 유튜버의 방송을 매일 보고, 따라 하는 것이었다.

무작정 유튜브를 틀었던 기억이 난다. '운동'. 이 두 글자를 검색해서 영상을 선택했다. 영상을 따라서 몸을 있는 대로 움직였다. 팔을 휘휘 내젓고, 발끝을 교차로 세우며 끊임없이 움직였다. 땀이 등을 타고 흐르면, 내 걱정도 땀을 타고 흘러가 버리는 듯했다. 그 당시 자주 봤던 youtube live가 '김뽀마미 홈트'다.

우리는 항상 오후 9시에 유튜브로 만나서 몸을 털었다. 매일 우리만의 약속이었다.

내 몸무게는 한 달 만에 10kg이 빠져 72kg을 가리켰다. 몸은 참 정직했다. 시험은 다양한 변수에 노력대로 안 될 수도 있는데, 몸은 내가 한 만큼 그대로 나타났다.

오랜만에 느껴보는 '해냄'이었다. 이 성취감을 그대로 근력 운동에도 도전하고 싶어졌다. 집 근처에 있는 강변을 따라서 무작정 걷다가 우연히 한 헬스장을 보았다. 그리고 무엇에 홀린 듯, 발길이 닿는 대로 헬스장에 들어섰다. 그곳에서 나는 바로 등록해버렸다. 상담할 것도 없었다.

나는 헬스장에서 배우는 웨이트가 참 재밌었다. 해부학이나 생리학의 이론을 찾아보고 배웠다. 이는 부지런히 기록하고 책을 찾는 수험생의 습관이 남아있어서 가능했다. 나는 매일 트레이너에게 엄청난 질문을 쏟아냈다. 근육의 움직임이 궁금하고 재밌었다. 모든 것이 신기했다. 감사하게도 트레이너 역시 귀찮은 티를 한 번도 내지 않고, 친절하게 알려주었다. 그러던 어느 날, 내가 선언했다.

"저 대회 나가고 싶어요."

아직 몸무게 숫자는 70kg이었다. 주변에 있던 사람들이 아닌 척하나 피식 비웃는 것만 같았다. 그러나 걱정과는 다르게 트레이너는 진지하게 듣고 상담을 해주었다.

"어느 대회를 나가고 싶어요? 종목은 비키니?"

내가 그런 걸 알 리가 없었다. 그냥 무언가 전념할 것이 필요했다. 이왕 하는 김에 제대로 해보고 싶었다.

"저 일단 대회 나가고 싶어요."

▲ 수험 생활로 살이 찌기 시작하면서 생활 한복을 주로 입었다.
70kg이 넘어가니 몸에 군살이 꽤 붙기 시작했다. ▼

▲ 아침은 한 교회에서 제공했고, 점심은 경찰서의 구내 식당을 이용했다.
노량진 고시원은 누우면 공간이 없었다. 가끔 하늘 보는 게 낙이었다. ▼

제3꿀

다이어트
도전기

-

소식, 홈트

– 여러분은 살면서 다이어트를 한 번이라도 해보신 적 있나요?

없다면 축하합니다. 지금까지 별 필요성을 못 느낄 만큼 건강하게 사신 겁니다. 그대로 사시면 됩니다.

아니면 혹시 다이어트를 해보신 경험이 있으세요? 아이고, 안타깝지만 평생 하셔야 합니다. 이미 몸은 지방을 잃은 공포를 느껴봤거든요. 그래서 다이어트를 하면 할수록 지방을 안 뺏기려고 할 거예요.

그래요. 예전 방법으로 안 빠져요. 몸이 이미 눈치챘어요. 하기 싫어할 거예요. 다이어트 방법을 더욱 업그레이드하지 않으면 절대 안 빠져요.

그런데 우리는 '개미' 잖아요. 매번 PT를 받을 수 없어요. 운동 좀 했다는 사람한테 가서 내 상태를 좀 봐달라고 궁색하게 굴기도 싫어요.

그러면 어쩌겠어요. 내가 공부해야죠. 그래서 제가 생리학과 해부학을 공부했습니다. 진부한 이론 얘기는 조금 있다가 할래요. 저도 여러분과 똑같습니다. 제 다이어트 역사부터 들어보실래요?

#1. 소식하기_ 생식 식단, 효소 식단

나는 다른 사람에 비해 상대적으로 다이어트를 늦게 시작했다. 그래서 나와 같이 다른 사람들도 20대가 되어서나 다이어트를 시작하겠거니 생각했다. 막연히 그랬다.

그러나 내가 생각했던 것보다 훨씬 더 많은 사람이 다이어트에 대한 고민이 많았다. 어린아이들조차 일찍 다이어트를 고민하고 몸매에 대한 불만을 표했다.

– 여고에 재학 중인 아이들의 '고민 1순위'가 뭐라고 생각하는가?

나는 당연히 대학 진학이나 진로 고민이라 생각했다. 너무 꼰대스러운 생각이라고 할 수도 있겠으나 그래도 다이어트가 큰 고민일 거라고는 생각하지 않았다.

그러나 내가 여고에서 근무할 때, 아이들과 상담하면 진로와 비슷한 숫자로 있는 고민이 있다. 바로 다이어트였다.

학교생활을 하다 보면 다이어트를 계획적으로 하는 친구들을 정말 많이 만날 수 있었다. 지극히 보통 몸매고, 너무나 사랑스러운데 말이다. 그 아이들은 고구마와 닭가슴살로 하루를 버티고, 밤마다 줄넘기를 뛰었다.

쉬익 쉬익–

동물의 세계에서도 암컷의 몸집이 더 크고, 생물학적으로도 여성의 체지방이 더 많다. 신체적 본능은 여자가 지방이 더 많은 게 맞다. 그러나 사회가 만든 여성의 외형에 대한 압박, 그 압박이 이 예쁜 아이들까지 몰아세운 것 같아서 속이 상했다.

그렇다. 꽤 많은 여성의 첫 다이어트 시기가 학창 시절이다. '공부만 열심히 해'라고 강조하기엔 아이들이 가지는 다이어트 고민은 훨씬 컸다.

그에 비해 나는 22살 때 '해볼까?' 정도만 생각해봤다.

스물둘의 나. 그때의 나는 172cm에 58kg이었다. 다이어트의 계기가 있었던 것도 아니다.

그날은 친구랑 놀고 있었다. 친구가 갑자기 갈 데가 있다고 한다. 뭐 그때는 친구랑 같은 공간에 있는 것만으로도 즐거우니까 따라가기로 한다. 같이 939번 버스를 타고 나섰다.

버스만 타고 50분이나 걸리는 거리였다. 버스에서 내리자 초대형 헬스장이 눈앞에 펼쳐졌다. 내 친구는 다이어트를 하기 위해 그 먼 거리의 헬스장을 등록하겠다고 갔었다.

164cm에 44kg이었다. 내 눈에는 충분히 말랐고 예뻤는데, 그 친구는 '더 날씬해져야 한다'라며 다이어트 방법을 찾았다. 그리고 주기적으로 장 청소 약을 먹으며 43kg 아래로 몸무게를 떨어뜨리려고 애썼다.

나는 친구랑 함께 있는 게 좋아서 두 번 정도 따라갔다가 포기한 기억이 있다. 멀리 가는 것도 귀찮았고, 운동도 귀찮았다.

내 기억 속의 그 초대형 헬스장은 유산소만 엄청나게 시켰던 듯하다. 귀찮았다. 아침에 학교 가려면 버스 잡으려고 매일 뛰는데, 뭐 하려고 50분이나 버스를 타고 가서 또 뛰어대고 있는가.

– 귀찮다.

그때 다이어트에 처음 관심을 가지고 검색하다가 발견한 것이 생식 식단이다.

그렇다. 생식식단. 내가 구석기시대 인간인지 현대 문명의 총집결체인 21세기 사람인지 헷갈렸다.

생식식단을 하려면 일단 생쌀을 씹어먹는다. 내가 아무리 바싹한 식감을 좋아한다지만 생쌀을 식도로 넘기다 보면 위장도 함께 바삭해질 것 같았다. 참고 계속했으나 며칠 못 가서 관뒀다. 생쌀이 너무 했던 기억만 난다.

그로부터 3년이 지나 발견한 다이어트 식단은 '효소 식단'이었다. 다이어트의 효과를 처음으로 톡톡하게 보았던 방법이다.

나에게 '효소 식단'이란 2014년과 함께 한다. 효소 식단을 시작한 2014년은 내게 '재활의 해'이다. 그해의 나는, 휠체어와 무릎 보조기에서 벗어나서 걷기 위한 재활이 필요했다.

수술로 한동안 고정되었던 왼쪽 다리는 앙상하게 말라 있었다. 양쪽 다리의 근력이 현저하게 달랐다. 이러한 이유로 일반적인 운동보다는 식단을 먼저 선택해야 했다. 왜냐하면 나는 이미 '대학교 4학년+휠체어 생활'로 10kg이 증량된 상태였기 때문이다.

그렇다면 효소 식단은 어떻게 하는 걸까?

효소 식단이란 한 끼는 일반식을 먹고, 나머지 끼니는 산야초 효소를 마시는 것이다.

네이버에서 유명한 여초 카페에서 비밀스레 알게 된 정보이다. 비공개 댓글을 달고, 조용하게 추천과 구매 링크를 받았다. 특별히 제주도 장인께서 만든 음료였기 때문에 한 병당 9만 원에 육박하였다.

매일매일 쑥쑥 빠졌다. 그래서 효소 덕분에 빠지는 줄 알고 계속 구매하였다. 다리 보조기 차고 있는 환자 수험생이면 어떠냐. 이렇게 살이 빠져서 건강해지고 있는데.

그런데 지금 와서 생각해보면 한 끼만 식단을 먹고, 나머지는 음료만 먹는데 안 빠지는 게 이상하다.

수영장에 같이 다니는 언니(라고 말씀하시지만, 사실은 우리 엄마보다도 나이가 많은 이모다.)들이 하루가 다르게 살이 빠진다고 부러워했다. '효소 식단'으로 12kg이 빠졌다. 1일 1식에 음료만 먹고 뺀 첫 다이어트 성공기였다.

#2. 홈트하기_ 온라인PT, 인스타LIVE

망할 놈의 절식 다이어트. 그게 문제인 듯하다. 하루 한 끼의 절식을 벗어나면 어김없이 몸은 부었다. 그때부터 조금만 먹어도 살이 찌는 체질이 되었다.

2016년에 노량진을 다녀오고 나니 82kg이 되었다.

– 대체 인간이 살이 찌는 한계는 어디까지인가.

내가 십자인대 재건 수술해서 휠체어를 탔던 시절이 있었다. 그때는 무릎 인대 재건 수술해서 못 움직이는 74kg가 최대 몸무게일 줄 알았다. 걸을 수 없었던 그때가 최대 한계일 줄 알았단 말이다.

그래서 내 인생에 82kg이 있을 줄 몰랐다. 정말 몰랐다. 그러나 왔다. 어쩌겠는가. 내가 있었던 곳은 문화의 꽃이자 절정인 서울이었다. 배달이 안 되는 시각이 없다. 어느 시각이라도 서울의 문화는 편하게 누릴 수 있었다.

– 한 번쯤 괜찮을 거야.

그렇게 밤에 먹었던 야식과 배달의 편리함이 몸의 움직임을 둔하게 만들었다.

본가로 내려와 무작정 운동 영상을 찾기 시작했다. 그러다 우연히 인스타에서 운동하는 분들을 봤다. 꾸준히 내가 움직이는 영상을 올리고, 유튜브 라이브로 저녁 9시마다 나를 초대했다.

'김뽀마미'. '주원홈트'. 지금도 잘 나가는 운동 유튜버이지만 앞으로 더더욱 번창하소서. 다이어트가 혼자라고 생각하면 하기 싫은데, 비슷한 의도를 가진 사람들과 매일 약속한 시각에 만나니 재미가 있었다. 사실 운동은 별것 없었다. 맨몸운동이었다. 다리를 차고

팔을 반복적으로 내리는 운동들이었다. 석 달도 안 돼서 10kg은 꿀처럼 빠졌다. 그만큼 같이하는 운동은 너무나 재밌었다.

여기까지가 제가 보디빌딩 식 운동을 시작하기 전의 일반인이 할 법한 다이어트 역사입니다. 지극히 일반적이고 진부해서 '뭐가 달라지겠나' 싶죠. 그래서 흔한 다이어트 이야기들과 더 비슷하게 느끼셨을 거예요. 다음 챕터에서는 '이 미친 운동과 즐기지 못한 괴리감'에 대해서 이야기해볼까 해요.

이 미친 운동과 즐기지 못한 괴리감

2화의 마지막 문장을 기억하시나요? 제가 단호하게 내뱉었던 그 한마디.

" 저 대회 나가고 싶어요."

사람이 무언가를 하기로 선택했다면 그 선택에 대한 책임은 스스로 져야 한다. 그날부터 나의 운동법은 싹 다 바뀌었다.

나는 헬스장에서 그저 그룹 PT를 받는 회원 중 하나였다.

아니다. 나는 무려 보디 빌딩 대회에 나가고 싶은 헬린이가 아닌가. 정해진 그룹 운동이 끝나면 트레이너에게 쪼르르 달려갔다. 그리고 운동 일정을 짜달라고 부탁했었다.

그는 매일같이 고강도인 '개인 운동 일정' 을 짜주었다. 그 일정은 마치 '얼마나 견디나 한번 볼까?' 하듯이 꽤 도전적인 일정이었다.

크로스핏에 가까운 고중량 운동이 이어졌다. 사실 처음에는 조금 의아하기도 했다. 비키니 선수라면 자고로 엉덩이가 커야 하니까.

그러나 나는 엉덩이 위주의 운동보다는 고중량의 전신운동이 많았다. 무거운 케틀벨을 온몸으로 흔들며 중심을 잡고, 무거운 바벨을 들어 올리는 운동이 주를 이루었다.

그래도 묵묵하게 했다. 어쩌겠는가. 일단 하고 보는 거지.

그리고 이내 깨달았다.

– 체중 감량이 우선이구나

내 몸에는 근력도 키워야 하고, 체지방 감소도 필요했다. 그래서 트레이너가 선택한 방법이 고중량 운동이었다.

그렇다면 고중량 운동이 무엇일까?

근력 운동할 때 무게를 많이 쳐서 유산소처럼 하는 운동. 즉, 케틀벨을 활용한 운동이 많았다.

그렇게 매일 주어진 대로 운동한 지 얼마나 지났을까.

헬스 초보 마니아들의 특징, 헬린이들의 함정이 내게도 나타나기 시작했다.

바로

– 더 할 수 있겠는데?

중량 욕심이 시작되었다. 그때의 나는 자세가 다소 흐트러지더라도 괜찮았다.

– 내가 이만큼이나 들 수 있다.

를 자랑하고 싶었다. 괜스레 최고 무게에 도전하고 싶었고, 이 센터에서 여성 순위로는 최고 기록을 갖고 싶었다.

– 에이, 그래도 내가 운동하는 여자인데.

웬만한 일반인 남자보다도 잘하고 싶었다.

그러다가 깨달은 게 있다. 무게 욕심이 한창 많을 때, 깨달은 게 하나 있다.

그것은 바로 여성이 아무리 운동으로 날고 기어봤자 남성이 드는 무게에는 안 된다는 사실이다.

어느 때와 같이 운동하던 어느 날, 헬스장 방문이 처음인 남성이 한 명 있었다. 그분은 한눈에 보기에 꽤 말라서 왠지 근육량은 내가 더 많을 것 같았다.

트레이너가 제안했다. 처음 온 남성이 드는 무게를 내가 들어보기로 말이다.

– 내가 이기지 않을까?

그 마른 남성분과 무게 대결하다가 처참히 졌다. 더 볼 것도 없이 한 번에 졌던 기억이 난다. 나는 몇 달을 훈련하며 들었던 무게였다. 그러나 일반인 남성은 한두 번은 버벅거리더니 이내 감을 잡고 잘하더군요.

나는 날이 갈수록 무게 올리는 재미에 살았다. 특히 케틀벨만큼은

무게에 대한 욕심이 대단했다.

그중 내가 가장 좋아하는 운동은 케틀벨 스윙이다. 스윙을 하기 위하여 자세를 잡고 휘두르다 보면 탄력을 받은 케틀벨이 규칙적으로 흔들릴 때의 쾌감은 어마하다.

18kg에서 24kg으로 무게를 올렸다. 한 단계 위의 케틀벨이지만 땀이 비 오듯이 난다. 그리고 성공은 꽤 달콤하다. 그러다 욕심이 생기면 종종 28kg의 쇳덩이를 잡아 올리기도 했다. 너무 무거워서 1RM, 1회만 하고 끝냈어도 그 성취감의 열매는 참 달콤했다.

물론 같이 준비하는 사람 없이 혼자 준비하는 대회는 고독했다. 서포트가 있는 선수들보다 더 집중해야 했기 때문이다. 출전 의상부터 포즈 연습까지 부지런히 검색해서 채워놔야 했다.

경상도에서 서울에 당일치기로 많이 갔던 기억도 난다. 반짝이는 비키니 선수복을 디자인하러 다녔고, 포즈 세미나도 열심히 참여했다. 그 과정을 즐겨서인지 재밌었다. 시합을 준비할 때는 몸이 가벼우니 피곤한지도 몰랐다.

꿈이 있는 사람은 늙지 않는다는 말처럼, 말랐는데 근육이 빵빵한 선수들을 만나는 공간에서 함께 꿈을 키웠던 기억이 난다.

#1. 미친 대회 준비_ 방울토마토는 마음껏 먹어도 돼요?

" 니 소말리아 난민 같네~"

이런 얘기에 이제 스트레스가 올라오지 않는다. 그저 한마디 더 해야 하니 짜증이 났다. 하루하루가 절실한데, 이런 시답지 않은 농담에 쓸 기운도 없었다. 상대 쪽으로 쳐다보지도 않고 내 할 일을 한다.

"이것 좀 먹어라! 이미 말랐는데 그러다 쓰러지겠다."

혹은

"이거 하나 먹는다고 확 안 찐다. 니 어차피 운동 많이 하잖아."

라는 말도 자주 듣는 잔소리 중에 하나다. 처음엔 '목표가 있어서 안 먹는다'라고 대답하지만 돌아오는 반응은 냉소적이다. 살 뺀다고 예민한 사람 취급이 된다.

또 자주 발생하는 상황 중 하나는 식단 도시락을 빼앗기는 일이다.

"이야~ 당근 맛있겠다. 나도 좀 줘~"

혹은 그냥 간식처럼 내 도시락을 쉽게 집어 먹는 사람도 있다. 누군가에게는 간식일지 모르는 양이라도, 다이어터는 한 끼를 연명하는 생명줄이다. 그러나 이 사실을 모르는 사람은 쉽게들 뺏는다.

그래서 다이어터는 혼자다.

다이어트를 한다는 건 사실 주변 사람들이 툭툭 한마디씩 던지는 것과의 싸움이라고 할 수 있다. 특히 운동하는 사람들이 주변에 없다면 더 심하다. 사람은 자신이 경험한 세계에서만 남을 보는 경향이 있기 때문이다. 심지어 일부는 남이 나와 같은 모습이어야 안심하는 부류. 그런 부류는 어느 집단이든 꼭 있다.

나의 직업은 체육과거나 아름다운 미가 필수는 아니었다. 그러니 외로워야 했다. 회식에서도 열심히 볶은 양파를 싸서 들고 다니며 하루를 버텨야 했다.

대회 날짜가 임박한 어느 날. 일이 터졌다. 트레이너는 내게 말했다.

"이런 식으로 할 거면 때려치우세요. 같이 무대에 올라가는 선수들한테 미안한 줄 아세요."

트레이너는 단호했다. 나는 어찌 반응해야 하는지 고장 난 로봇처럼 하얗게 굳어버렸다. 피곤한 장거리 출퇴근과 많은 수업을 끝낸 후에 운동하는 나는, 참 체력적으로 힘이 들었다. 지친 몸과 마음을 이끌고 에너지를 충전하고 싶었던 나는 트레이너에게 이렇게 물었다.

" 방울토마토는 마음껏 먹어도 돼요?"

"네. 수분이 대부분이라 드셔도 돼요."

그렇게 나는 방울토마토가 가득 담긴 한 팩을 그 자리에서 다 먹어버렸다. 내가 보고 싶은 대로 보고, 해석하고, 혼나고 말았다.

일이 벌어진 걸 어쩌겠는가. 임박한 대회 시각에 내가 선택한 방법은 이뇨 작용을 활용한 다이어트였다.

남은 14일은 깡으로 버틴다. 하루에 채소 샐러드 50g만 먹고, 물을 11L씩 마셔서 깡으로 버텨본다.

그 결과 대회는 성공적이었다.

물론 행운도 컸다. 타고나기를 키가 크고 엉덩이에 볼륨이 있어서 운이 좋게 입상할 수 있었다. 매일같이 훈련했던 웨이트 운동의 공도 컸으리라.

그 기세를 몰아 영국에서 넘어온 대회에도 출전했다. 웅장한 구조물과 여러 조명이 화려한 무대.

서울 올림픽 경기장에 모인 기자들과 심사위원들이 내게 사진 요청을 하기도 했다. 꿈만 같았다. 내가 꿈꾸던 그 현실이 진짜가 되어 일어났다.

엄청난 하이힐을 신은 내 키는 190cm가 되었다. 늘씬한 각선미는 사진 찍기에 좋았다.

다음날은 스포츠모델로 변신하여 워킹하고, 동료 선수들과 함께 일상을 나누기도 했다. 이 과정에서 내 이름이 박힌 기사가 나기도 했다.

하지만 이상했다. 내 마음은 대회를 나가면 나갈수록 불안해지기 시작했다.

- 나는 이게 그저 취미인데, 인제까시 선수처럼 운동해야 할까.

- 나는 이제 본업에 집중해서 아이들이랑 햄버거도 먹고, 교과협의회 때 삼겹살도 먹고 싶은데 언제까지 다이어트 식단으로만 살아가야 할까.

그 불안감은 내 발목을 잡았고, 언젠가부터 대회를 위한 다이어트만 하길 시작했다. 평소에는 풀어지게 놀다가 대회 앞두고만 바짝 하는 다이어트.

이틀 만에 11kg은 쉽게 왔다 갔다 하기도 했다. 불안할 때마다 바디프로필을 예약하고 대회를 기웃거렸다.

스스로 압박을 주기 위하여 몸의 실루엣이 다 드러나는 '누드 바디 프로필'을 예약하기도 하고, 끊임없이 무언가를 도전할 일을 일부러 만들어내며 미친 운동을 했다.

#2. 휴식기_ 즐기지 못하는 괴리감.

결국 나는 신장 기능이 망가졌다. 무리한 이뇨 작용 및 절식과 폭식을 오가는 식이 습관. 이 습관이 간과 신장에 무리를 줬다.

나는 우습게도 이 첨단 시대에 영양실조 판정을 받았다. 오랫동안 영양 치료를 해야 했다.

계획했던 대회에 나가지 못하게 되었다. 그 당시 나는, 울산에서 열리는 사설 보디빌딩대회를 나가고, 울산에서 친척 모임에 가려고 했다. 대회도 출전하고 외갓집 모임도 갈 겸, 울산에 다녀오려고 했었다. 어쩔 수 없이 대회는 무산되었지만 친척 모임에는 참여하게 되었다.

가장 먼저 맞아준 친척은 외삼촌이었다. 나는 어릴 적부터 외삼촌이랑 친하게 지냈다. 왜 그런지는 모르겠지만 이모들에게는 존댓말을 쓰는데, 외삼촌에게는 반말로 친하게 지냈다. 외삼촌은 나를 보자마자 진심을 담아 이렇게 말씀하셨다.

"이야~ 니는 이제 몸매가 되니까 딱 붙는 옷을 입고 댕기네. 인생에서 그런 도전 정신은 좋다. 몸매 보기 좋다."

듣는 순간 기분이 매우 찝찝했다. 분명 건강해진 조카의 몸을 칭찬하고 싶으셨으리라.

그러나 가장 편안해야 할 가족들과의 만남에서도 평가 당하는 몸매에 대한 걱정이 엄습했다.

나는 그 자리에서도 여전히 마음껏 먹지 못했다. 눈앞에 놓인 탄수화물 양은 머리에서 자동으로 계산이 되었다. 이따가 해야 할 유산소 시간에 곱하여 계산하였다.

때로는 위의 상황과 정반대의 행동을 했다.

- 지금 아니면 내가 언제 먹을지 모른다.

그 생각에 빵을 욱여넣었다. 지금 별로 먹고 싶지 않아도, 배가 찢어질 듯이 아파도 밀어 넣었다. 내가 또 시합 준비를 하게 된다면 오랫동안 못 먹게 될 테니까. 그러니까 지금 먹어야 했다.

물론 건강하게 다이어트를 하고, 생활화하는 보디빌더 분들이 훨씬 많다. 그러나 일부는 나처럼 겉보기에는 좋으나 속은 병약한 빌더가 되기도 한다.

"내 신체에 감사하는 것이 자신을 더 사랑하는 열쇠임을 비로소 깨달았다."

오프라 윈프리의 명언이다. 107kg인 몸무게를 2년 만에 68kg으로 줄인 미국 방송인이 말한 내 신체를 사랑하고 감사하는 일.

이러한 마음가짐이 없는 다이어트는 결국 열리지 않는 문이 되고 만다.

대회가 끝난 후에도 운동을 했다.
이 미친 운동과 즐기지 못한 괴리감이었다.

대회는 성공적이었다.
기사도 나고, 수상도 했다.

[포토] 최혜진, '오늘은 강한 여자 컨셉~'(월드스포츠탑모델쇼)

이대웅 기자   입력 2018.10.07 23:51   수정 2018.10.09 00:41   댓글 1

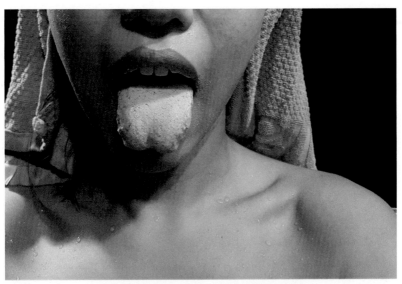

그러나 영양실조 치료를 오랫동안 받아야했다.
탄수화물을 먹고 붓기를 반복했다.

제5꿀

<u>스스로</u> 식단표를 짜야 한다.

고구마 100g, 닭가슴살 25g, 방울토마토 4알

위 식단은 얼핏 보면 완벽해 보인다. 더욱이 타인의 식단표는 더 그 럴듯하게 보인다. 드라마처럼 크게 살을 뺀 사람들. 그들의 다이어트 식단을 보고 있노라면 답은 이미 정해진 것만 같다. 답은 정해진 것 일 수도 있고, 아닐 수도 있다.

이렇게 해야 한다, 저렇게 해야 한다. 수많은 이야기를 접할 수 있 는 요즘, 우리는 어떻게 해야 할까?

나만의 루틴을 만들기 위해서는 물론 모방이 중요하다. 그런 모방 의 경험이 쌓이다 보면 나에게 맞는 방향이 보이기 때문이다. 그러나 최종적으로는 스스로 식단을 구성할 수 있어야 한다. 내가 평생 할 수 있는 방법으로 스스로 계획할 수 있어야 한다. 우리는 드라마틱한 몸도 좋지만 그걸 지속할 수 있는 에너지도 필요하기 때문이다. 이때, 다이어트 식단은 자신이 좋아하는 음식으로 구성을 해야 한다. 그렇 다면 에너지를 주는 영양소 식단을 구성하기 위해서는 무엇이 필요 할까?

1. 영양성분을 분석해야 한다.

"저, 두유 먹어도 돼요?"

온라인 PT를 받던 때, 영양 코치에게 물었던 적이 있다. 두유는 다 이어트 식품이라 생각했기에 당연히 될 줄 알았다. 삶은 계란이랑 곁 들여 먹기도 좋고, 배고플 때 다른 음료보다 든든하게 배 채울 수 있지 않는가? 그래도 영양 코치에게 물어보고 먹는 게 낫다고 생각했기 때문에 물어보기로 했다. 정해진 식단 외 간식이었으므로 물어보려는 마음도 있었다.

"뒤에 영양성분 찍어서 보내주세요."

영양 코치님이 말씀하셨다. 그의 말에 나는 두유 팩을 휙 돌렸다. 그리고 영양성분을 촬영하여 사진을 보내드렸다. 나의 예상과는 다르게 그의 대답은 'No' 였다. 두유의 탈을 쓰고 있지만, 너무 달았던 음료였다. 다이어터에게는 이 두유는 당분이 꽤 많은 음료였다.

그렇다면 우리는 다이어트를 할 때 어떻게 식단을 구성해야 할까? 식단이 다이어트의 70%를 차지한다는 이야기를 들어봤을 것이다. 이 70%를 채우기 위해서 다이어터는 어떤 노력을 해야 하는가?

닭고야. 닭가슴살, 고구마, 야채면 단순하고 간단하다. 이 식단을 평생 지속할 수 있다면 진행해도 좋다. 하지만 나처럼 사람 좋아하고 사회 생활하면서 다양한 음식을 접하고 싶다면, 그 식단을 완성하기 위하여 무엇을 주로 보게 될 지를 생각해 볼 필요가 있다. 대게 많은 경우는 칼로리를 먼저 볼 것이다. 총 얼만큼의 음식을 먹었는지에 따라 하루 식단의 척도를 결정하기 때문이다. 적은 칼로리면 다이어트 식단이 되는 걸까?

정답은 '아니다'. 적은 칼로리 섭취가 체지방 감량에 도움을 줄 순 있어도 절대적이라고 말할 순 없다. 기초대사량에 필요한 칼로리도 있다. 우리가 평소에 물 흐르듯이 하고 있는 것. 즉, 숨을 쉬고 기본적인 생활을 하는 데에 칼로리 소모는 반드시 필요하다. 숨만 잘 쉬어도 살이 빠진다고 하지 않는가. 이렇듯 칼로리를 소모하기 위해서는 정해진 마지노선은 필요하다. 하지만 일부 연예인의 다이어트 식단으로 유행하는 하루 500칼로리, 1000칼로리 미만의 식단은 건강한 다이어트에 적절하지 않다. 이런 작은 칼로리의 숫자들은 우리의 마음을 끌어당기기도 한다. 그러나 반드시 기억해야 한다. 적은 칼로리 섭취로 하는 다이어트 식단은 반드시 요요를 동반하게 된다. 우리의 신체는 원래의 성질로 돌아가려는 항상성을 가지고 있다. 배고픔을 참으면서 하는 다이어트 식단은 곧, '다이어트는 고통스러운 거야' 라는 인식을 불러오게 한다. 그다음에 다이어트를 하려고 할 때는 시작조차 두려운 상황을 연출할 것이고, 시작했다 하더라도 배고픔이 주는 괴로움에 조급한 마음만 더해지게 된다. 그러므로 우리는 영양성분에서 총 칼로리를 볼 것이 아니라 성분별로 비율을 따져보아야 한다. 오늘 내가 섭취한 총량에서 부족한 영양소가 무엇인지를 파악하여 내 몸의 영양상태에 맞는 음식 섭취를 해야 할 필요가 있다.

2. 하루의 총량을 정해야 한다.

그렇다면 우리가 흔히 말하는 탄수화물, 단백질, 지방, 섬유질 등의 모든 영양소가 끼니마다 있어야 하는가? 예전의 다이어트 정보는 한 끼에 위의 영양소가 모두 있어야 한다고 전했다. 즉 탄수화물, 단백질, 지방이 고루 구성되어야 한다고 말하였다. 매 끼니 마다 영양성분을 고려하여 하나하나 차려내는 삶. 당신은 지속할 수 있는가?

요즘은 그렇지 않아도 된다는 의견이 많다. 내가 경험한 바로도 하루 총량만 맞으면 됐다. 적은 양으로도 탄탄한 영양과 질 좋은 상품들은 많이 개발되었고, 발전하고 편리해진 생활에 하루 운동량은 많이 줄었기 때문이다. 영양 균형만 맞으면 방법은 자신에게 맞게 선택하면 된다. 내가 주로 운전해서 다니거나 하루 활동량이 많지 않다면 매 끼니 마다 영양소를 고루 갖추지 않아도 좋다.

하루 총량만 맞으면 된다. 즉, 내가 오늘 탄수화물 200g, 단백질 50g을 먹을 예정이었다고 하자. 아침에는 탄수화물 200g을 몰아서 먹고, 저녁때는 단백질 50g을 몰아서 먹어도 적절한 편이다. 하루 안의 영양을 구성하면 된다.

원래 우리 조상들은 아침, 저녁으로 2끼만 먹었다고 한다. 체력을 많이 소모하는 머슴들에게 새참의 개념으로 내어주던 간식이 점심이라는 식사로 정착되었고, 점심을 챙겨 먹는 문화가 되었다. 지금의 나는 밭일을 하지도 않고, 차가 없던 시절처럼 걸어 다니지도 않으니 굳이 세 끼를 모두 먹을 필요는 없다. 특히 내가 주로 하는 일은 실내 생활을 하므로 더욱 그렇다.

이렇게 자신의 상황에 맞게 식단을 스스로 짜는 것이 다이어트의 시작이라 할 수 있다. '5% 덜 나가기 위해 당신의 삶 95%를 희생하지는 마라' 는 명언이 있다. 다이어트는 즐겁게 해야 한다. 내 삶의 일부분이 되어야지, 전부가 되어 무너지게 된다면 지속할 수가 없다. 지금부터라도 우리는 타인의 이야기는 참고하되 주도적으로 식단의 내용을 구성하여 똑똑하게 다이어트를 할 필요가 있다.

과일은 탄수화물과 당이 많다.
나는 워낙 과일을 좋아했기 때문에 하루 한 끼는 과일만 챙겨먹었다.

매 끼니마다 과일이나 채소로 섬유질을 챙긴다.
닭가슴살 핫도그 등이나 우둔살로 단백질을 추가했다.

가끔 흑미밥에 계란을 올려서 먹기도 했다.
그러나 가장 맛있는 건 키위와 파프리카 등의 섬유질이었다.

제6꿀

나를 알고 주변을 알아야 한다.

"언니 그때 닭가슴살 챙겨와서 양파랑 쌈 싸 먹었잖아요."

주말마다 갔던 종교 모임에서 내가 들었던 이야기다. 이제는 그 시절이 희미해져서 그런가. 사실 잘 기억이 나진 않는다.

2018년. 몸을 한참 만들던 시기에 평일엔 운동을 하고, 주말은 성당으로 가서 명상을 하였다. 오후 8시. 이 주일 미사가 끝나면 평일에 각자 자기 일을 열심히 하고 만난 청년들끼리 옹기종기 모여 회식을 하곤 했다. 차질 없이 잘 준비한 미사에 감사하고, '서로 수고했다.'는 의미로 맛집을 찾아다니는 게 행복이었던 시기였다. 그 당시의 나는 어떤 사람이었을까?

다이어트는 하고 싶지만 사람을 만나는 재미를 잃고 싶지 않았다. 그래서 굉장히 애썼던 기억이 난다. 사람을 만나고 싶지만 내가 먹고 싶은 음식이 없을 때, 내가 주로 쓰던 방법이 있다.

다이어트 도시락으로 방울토마토나 닭가슴살은 항상 챙겨 다니니 큰 문제가 없었다. 문제는 식당 동행이었다. 식당에 같이 가는 게 왜 문제였냐면, 우리가 또 '정의 민족'이 아닌가. 앞에 굶주린 사람을 두고 혼자 먹지 않는 게 우리의 문화이다. 즉, 지인들과 같이 간 음식점에서 내가 뭐라도 먹어야 곁에 있는 사람들이 편안함을 느끼는 것이다. 무언가 방법이 필요했다. 내 식단을 지키면서 사람들과 함께 어울릴 수 있는 방법이 뭐가 있을까. 내가 고민 끝에 고안한 방법은 사이드나 밑반찬을 먹는 것이었다.

어느 음식점에 가든 반찬으로 채소는 대체로 있는 편이다. 그 음식들은 내가 챙겨 온 식단이랑 같이 먹으면 환상의 한 끼가 된다. 하다

못해 그 식당에서 내가 먹을 메뉴가 김치밖에 없다고 한다면, 단호박이나 고구마와의 조합이 꿀맛인 것이다.

고깃집으로 가도 양파와 쌈 채소가 있다. 다이어터라면 똑똑하게 회식 문화를 즐길 수 있어야 한다. 세상에 안 될 것은 없다. 우리는 사회적 동물이지 않은가. 보이는 몸무게에 집착하느라 인간답게 사는 방법을 포기하진 말자.

또 하나 다행인 것은 요즘은 술을 강요하는 분위기가 아니다. 대학생 때는 처음 경험해보는 술 문화가 신기해서 간혹 친구들끼리 강요할 순 있다. 그러나 그마저도 '강요하는 사람이 곧 이상한 사람이다' 라는 인식이 시작된다. 이제 술 강요는 그러한 분위기가 팽배하다. 만약에 그래도 강요하는 사람이 있다면 어쩌겠는가?

그에 대한 해결법은 내가 직접 만들면 된다. 차를 가져가도 좋고, (대리비를 주겠다고 하시는 분들도 있다) 받은 한잔으로 끝까지 '짠-'만 하며 버틸 수도 된다. 또, 입술만 적시는 시늉으로 그 분위기를 즐긴다면 그 누구도 크게 뭐라고 하지 않을 것이다.

하필 내가 앉은 자리가 술을 좋아하는 꼰대 상급자의 옆자리인가? 그렇다면 조심스럽게 한약을 먹고 있다든가 갑자기 알코올 알레르기가 생겨서 술을 마시면 숨이 막힌다고 하라. 꼰대이면 꼰대일수록 벌어진 사고에 대한 책임까지 지려고 하는 사람은 없다.

"나 사실 분노 조절이 안 돼서 사람을 패..."

20년을 넘게 알고 지냈던 지인이 뜬금없이 이렇게 고백을 하였다.

술을 거절하는 방법을 물었을 때 나온 대답이다. 이 방법은 그분이 간혹 쓰던 방법인데, 술을 거부할 때 아주 효과가 아주 좋았다.

술자리는 즐기는데 술은 절대 안 마시는 친구였다. 이러한 위치 때문에 주로 친구들의 대리기사를 자처했고, 동네 친구인 우리도 왜 술을 안 먹는지 그 이유를 몰랐다. 지인들끼리 오랜만에 모인 김에 분위기가 좋아서 술을 강요하던 어느 날, 친구가 꺼낸 고백은 예상 밖의 고백이었다.

"스무 살 때 대학 선배가 술을 강요하길래 어쩔 수 없이 마셨는데, 자꾸 선을 넘는 장난을 치길래 미친 듯이 때려버렸어. 그 뒤로는 술을 절대 안 마셔. 가끔 직장 상사들이 강권할 때가 있긴 해. 그럴 때마다 그분의 눈을 바라보면서 사람을 팰 수 있어서 안 마신다고 하면 아무도 안 건드리더라고. 대신 직장생활이나 업무는 제대로 해야 또라이 소리 안 듣는 거 알지?"

그렇다. 술을 거부하는 시작은 어떠한 사건이 계기가 되어 이어질 수도 있다. 그러나 이것을 오히려 술을 거부할 수 있는 천하무적 멘트로 활용하면 굉장히 효율적이다.

다이어터를 한다고 해서 세상과 단절할 필요는 없다. 사람들을 만나되 나만의 방식으로 상황을 재구성하면 된다. 이를 판단하기 위해서는 내가 어떤 상황에서 스트레스를 받는지 알아야 한다. 그리고 내 주변은 내 성장을 방해하지 않을 사람들인지를 파악할 수 있어야 한다.

즉, 나를 알고 주변을 알아야 한다.

▲ 회식에서 계란찜, 육회, 땅콩 등을 먹으면 충분히 즐길 수 있다.

안주로 시킨 연어에 내가 챙긴 방울 토마토를 넣어 충분히 즐길 수 있다. ▼

▲ 외식 약속이 잡히면 미리 샐러드 도시락을 만들어서 준비한다.
근처 빵집에서 파는 샐러드 도시락에 소스를 조절해서 먹으면 된다. ▼

제7꿀

유산소도 하다 보니 되더라

2018년 6월 XX일.

으아 혼자서 하는 유산소는 정말 재미가 없다. 내가 무엇 때문에 반복적으로 발을 놀려야 하는지 모르겠다. 시간을 헛되이 보내기 싫어하는 나에게 유산소 운동은 유독 의미가 없어 보인다. 그냥 멍하게 있는 행위로 느껴지기 때문이다. 그럴 바엔 밖으로 나가서 자연 풍경도 즐기고, 바람이라도 맞는 게 훨씬 낫다. 그러나 이것 역시 혼자 하기에는 좀 지겹지.

유산소 운동이란 산소를 사용한 해당작용과 TCA회로 및 전자 수송시스템에 의해 근수축의 직접적인 에너지원인 아데노신3인산을 근육에 공급하는 것이다.

어휘를 활용하여 직관적으로 말하면, '산소가 있는 운동'이란 뜻이다. 숨 쉬는 듯이 편하게 하는 운동이 아니다. '내가 산소를 마시고 있구나'를 코로 다급하게 느낄 수 있어야 한다. 즉, 숨이 목구멍에 걸려서 껄떡껄떡 숨넘어갈 정도가 되어야 유산소 운동이다.

난 이 유산소 운동을 무척 지루하게만 느꼈다. 내가 좋아하는 무산소 운동은 운동을 하고 나면 해당 부위가 우리하다. 우리하다: 신체 일부가 몹시 아리고 욱신욱신한 느낌이 있다. 경상 지방의 방언이다.
그에 비해 유산소 운동은 바로 결과가 보이지 않기 때문에 유독 지루하게 여겨졌다.

내가 했던 유산소 운동은 고작 다음과 같다. 그건 바로 결과를 확인

할 수 있는 마라톤 대회 기록이라든지 혹은 승부를 건 자전거 정도였다.

그러나 대부분 다이어트에는 체지방 감량이 전제되어야 하고, 체지방을 줄이는 데 효과적인 운동이 유산소 운동이다. 게다가 내가 출전하고 싶은 대회는 유산소 운동을 필수로 해야 했다.

처음에는 다른 선수들의 대회 영상을 틀어놓고 멍하니 포즈 구경을 하며 자전거 페달을 돌렸다. 유산소를 해야 한다는 의무감에 했으므로 의욕이 하나도 없었다.

대회일 2주 전부터는 공복에 1시간, 점심에 1시간, 퇴근 후 3시간을 했다. 하루에 총 5시간을 땀 흘리는 데 사용한 셈이다. 유산소 운동은 여전히 재미가 없었다. 그저 해야만 한다는 의무감, 운동하면 할수록 남는 건 초췌해지는 내 모습뿐이었다. 원하는 대로 예쁘게 말라가는 것이 아니라 하기 싫어서 인상을 쓰는 만큼 초췌한 모습이었다.

그때 번뜩 생각해낸 것이 있었다. 내가 좋아하는 근력 운동을 유산소 운동처럼 하면 되지 않을까? 근력은 내가 어느 부위를 운동하고 있는지 즉각 자극이 와서 흥미롭고, 머리에서 바로 근육 그림을 그리는 재미도 있다. 이것을 유산소와 결합하기로 했다.

첫 번째 운동은 케틀벨 스윙이다. 내가 가장 많이 했던 유산소형 근력 운동이기도 하다. 무거운 케틀벨을 가랑이 사이에 넣었다가 위로 휙ー하고 휘두르는 운동이다. 케틀벨 스윙은 등과 허벅지 뒤 근육으로 버티면서 휘두르는 운동이기 때문에 뒤 라인에 많은 자극이 온다. 내가 백라인 전신운동을 하고 있다는 즐거움이 올 때 즈음, 무게 때문에 숨도 가빠온다.

나는 처음에는 12kg을 했다가 이어서 16kg, 마지막에는 28kg을 10분간 휘두르는 재미가 꽤 쏠쏠했다. 단, 이 운동을 할 때는 약지와 새끼손가락에 힘을 꽉 주어야 한다. 터덜터덜 휘두르다간 손에 힘이 빠지면서 케틀벨이 날아갈 수 있다. 거울이 와장창 깨지는 건 덤이다.

두 번째는 근력 운동 시에 이완보다는 수축만 반복하는 것이다. 흔히 운동의 정석이라고 하면 '최대 수축, 최대 이완'이라고 들어봤을 것이다. 물론 근육 단련이 주목적이라면 정석대로 하는 것이 좋다. 즉, 대상 근육에 부하를 걸었을 때, 최대한 늘리고 수축하여 가동범위를 넓게 가지는 것이 좋다. 그러나 여기서 내가 이루고자 하는 것은 근력을 유산소처럼 활용하는 것이 목적이다. 근육을 이완하지 않으면 자극이 반복되어 매우 아프다. 그리고 이완했을 때보다 수축만 했을 때가 훨씬 숨이 찬다.

세 번째는 하체 운동을 할 때 무게를 최대로 많이 치는 것이다. 하체는 우리 신체 중에서 가장 길고 큰 근육이다. 따라서 하체를 많이 단련한 날이면 전신운동을 한 것처럼 힘이 쫙-빠진다. 나이가 들수록 자신감은 강한 하체에서 나온다고 하지 않는가. 하체는 언제나 강조해도 옳다.

이러한 하체에 무게를 쳐서 운동하다 보면 숨이 가빠온다. 이때 특정 자극에 집중하는 것은 잠시 던져두자. 평소에 근력 운동을 할 때는 같은 운동을 하더라도 '내가 대상을 엉덩이에 두느냐' 혹은 '허벅지 뒤 근육, 대퇴 사두근을 사용하느냐.' 등에 따라서 발의 위치마저 세심하게 조정해야 한다.

그러나 이 순간은 세밀한 근육 조정이 필요 없다. 우리는 지금 냅다 많은 무게를 쳐서 온 마음과 온 다리, 그리고 조상의 힘으로 무게를 밀어 올려야 한다. 지금 목적이 근력을 유산소 운동으로 바꾸는 것이기 때문이다. 이때 관절이 다치지 않도록 준비를 단단하게 하자.

모든 운동에 정답은 없다. 반드시 하나의 정답을 찾아야 한다면 '모든 운동은 다치지 말아야 한다.', 그뿐이다. 다치지만 않으면 내가 정한 운동 대상과 운동 목적 안에서 마음대로 변형하고, 내 몸에 적용해도 좋다.

예전에 톤 피규어 종목 프로인 한수정 선수의 힙 레슨 받은 적이 있다. 한 선수는 수많은 대회를 출전한 프로선수임에도 불구하고, 헬스장에 가면 한 번씩 듣는 말이 있다고 한다.

"운동 그렇게 하는 거 아니야. 요즘 유튜브 같은 거 많이 보고 이상하게들 배워 와."

우리는 운동을 왜 하는가? 다른 사람에게 교과서적인 방법을 가르치기 위하여 운동하는가? 아니다. 내 몸이 실험 대상이다. 내 몸에 맞게 연구하고 적용하여 운동하면 된다.

그래서 유산소 운동을 싫어하는 사람은 러닝머신이나 자전거에 굳이 몸을 실을 필요가 없다. 나만의 방식으로 운동하자. 내가 찾은 유산소 운동의 방법은 근력 운동을 숨차게 하는 것이다.

▲ 가장 많은 시간을 할애한 유산소 운동은 '자전거 타기'다.
케틀벨을 활용한 운동은 가장 재미있게 한 유산소 운동이다. ▼

▲ 연 초에는 각종 마라톤 대회가 꽤 열린다. 5km 정도는 지인과 뛰기 좋다.
스탭박스를 활용한 '뛰기'는 날아다니는 느낌이 나서 좋다. ▼

▲ 케틀벨은 근력운동이면서 유산소처럼 할 수 있는 운동이다.

등산을 오르는 것도 좋다. 정상이라는 목적이 분명하기 때문이다. ▼

제8꿀

운동을
이어가는
재미

내가 7살 때 외가 식구들이랑 울산의 한 해수욕장에 놀러 간 적이 있다. 어른들은 하하 호호 즐거운 이야기를 나누고 있었다. 그 웃음을 뒤로 하고, 어린 사촌들끼리 물속으로 들어간 적이 있다. 나는 튜브를 하나 끼고 있었고, 점점 더 안쪽으로, 조금 더 안쪽으로 발을 동동거리며 들어갔다.

'수영금지' 부표에 다다랐을까. 갑자기 발이 아래로 쑥- 꺼지더니 거친 물살이 얼굴을 덮쳤다. 일어나려고 발버둥을 쳐댈수록 몸은 점점 가라앉았다. 이에 힘입어, 성난 파도는 무지막지한 물을 나의 코와 입에 쏟아부었고, 정신은 점차 흐려졌다.

이런 트라우마 때문에 성인이 되고도 물은 거부했다. 물이란 물은 막연히 다 싫었다. 마시는 물이 싫었고, 샤워하는 물도 싫어했다. 그것에 대한 원인을 7살 때의 저 해수욕장 사건으로 추측할 뿐이다.

그 사건에서 20년이 지난 27살의 나는, 아이러니하게도 수영 마스터즈반이 되었다. 그리고 수영 고수만 할 수 있다는 접영을 꽤 뽐내고 있었다. 대체 어찌 된 일일까? 어떠한 과정으로 물에 대한 두려움을 바꾸게 되었는지 그간의 이야기를 풀어내고자 한다.

2016년의 나는 노량진에서 생활하는 수험생이었다. 모두가 그렇듯이 나 역시 독서실에서 종일 책을 들여다보는 수험생이었다. 선생님이 되고 싶었다. 내가 어릴 적에 어른들에게 받은 사랑을 사회로 돌려주고 싶었다. 그래서 공부를 했다. 화법교육을 공부하고 언어를 공부했다. 그러나 고립된 생활이 이어질수록 '아메리카노 한 잔 주세요'라고 말하기도 어려울 정도로 책을 붙잡고 있는 시간은 길었다.

1년의 절반이 지나던 어느 날. 나는 노량진역에서 대방역 쪽으로 터덜터덜 걷고 있었다. 나는 가장 처음에 치른 모의고사에서 1등을 했다. 감사하게도.

그러나 거기까지였다. 시험 성적에 단 1점도 변화가 없다. 다른 수험생의 성적은 회차를 거듭할수록 상승하는데, 나는 그 자리 그대로였다.

나의 한계가 무엇이길래 깨지 못하는 것일까. 답답했다. 그리고 괴로웠다. 솟구치는 생각 더미에 하염없이 걸었다. 정처 없이 걷다 보니 눈앞에 수영장이 대뜸 보였다. 아, 깨고 싶었다. 나를 이기고 싶었다. 미친 듯이 분투하고 싶었고, 나의 한계를 찢어버리고 싶었다.

그래서 무작정 카운터로 가서 등록했다. 아예 초보니 하는 말은 구태여 하지 않았다. 그냥 해보는 거야, 뭐.

처음 3개월을 유아 풀에서 강사 손을 잡고 걸었다. 물이 상체에 가득 닿는 것조차 공포여서, 3개월을 유아 풀에서 걷기만 했다. 그랬던 나는 점점 더 용기를 냈고, 남들보다 조금 늦게 초보반을 수행할 수 있었다. 그리고 기세를 몰아서 중급반, 상급반, 그리고 마침내 선수반에 오를 수 있었다. 물론 두려웠다. 무의식에 남은 트라우마는 잊을 만하면 내 발목을 집어 끌었다. 그러나 여기서 그만할 수 없다. 나는 나를 이길 테고, 그 기세를 몰아 프리다이빙까지 도전하였다.

세상에 당연한 것은 없고, 못할 것은 없었다. 샤워기의 물도 무서워하던 내가 해냈다. 그래, 내가 해냈다. 그게 용기의 시작이었던 듯하다. 그래서 다들 부정적으로 봤던 보디빌딩 선수가 되고 싶었다. 무작정 하겠다고 했다. 하고자 하면 해내는 사람이 되고 싶었다. 운이 좋게도 연달아 입상을 할 수 있었다.

즉, 누구나 작은 용기만 있다면 운동은 할 수 있다는 것을 말하고자 한다.

#1. 중량을 올리는 재미

근력 운동하는 방법이나 이론은 정말 많다. 그래서 어디서부터 어떤 방법으로 설명해야 할지 모르겠다. 내가 너무 많은 방법론에서 기준을 찾지 못한 경우라면 전문가를 찾아가자. 내가 끌리는 센터에 가서 마음에 드는 선생님을 찾자. 처음일수록 전문가에게 배워야 안 다치고 즐거운 운동을 할 수 있다.

그것도 모르겠다면 생활체육지도자 자격증을 소지하고 있는 트레이너를 찾으면 좋다. 생활체육지도자 자격증은 문화체육관광부에서 발급하는 공인 자격증이다. 이 자격증이 왜 중요하냐. 이 자격증은 단순히 운동을 잘해서만 딸 수 있는 게 아니다. 생리학적인 관점, 해부학적인 지식을 토대로 이루어지는 필기와 실기를 모두 통과해야 발급받을 수 있다. 운동은 누구나 도전할 수 있지만 우리는 다치지 말아야 한다. 그러므로 해부학과 생리학의 지식을 모두 겸비한 트레이너를 찾는 것을 추천한다.

#2. 일상의 재미

우리 일상에서 운동할 수 있는 것은 너무나 많다. 7화에서 언급했 듯이 내 몸에 맞고, 내가 재미있게 할 수 있는 운동이면 그것이 내게 는 정답인 운동이다. 나는 내가 즐길 수 있는 운동으로 수영과 랜드 서핑 보드를 택하였다.

먼저 수영은 많은 사람이 쉽게 접하는 스포츠다. 물을 좋아하는 사 람이 할 수도 있고, 관절이 약한 사람이 부담 없이 즐길 수 있다는 말 에 도전하기도 한다. 코로나19 이전에는 지역의 생활 체육센터나 근 처 체육 중고등학교에서 수영장을 이용할 수 있었다. 내가 다녔던 한 체육 중고등학교는 일일 입장권이 3천 원이었는데, 선수들이 이용하 는 50m 8개의 긴 레인 풀장을 이용할 수 있다는 장점이 있다. 사설 수영장도 관리가 잘 되고 쾌적하니 관심이 있다면 수영을 운동으로 선택하는 것도 추천한다.

다음으로 랜드서핑 보드는 우연히 지역의 한 동아리에 참가했다가 계속 도전해보고 싶었다. 랜드서핑 보드란, 파도에서 타는 서핑 보드 를 땅에서 탈 수 있도록 만든 보드다. 일반 스케이트보드의 느낌에 좌우로 많이 흔들리는 것이 특징이다. 이 흔들거림이 파도의 물결을 표현하기 때문이다.

수영과 다이빙을 했지만, 여전히 바다는 내가 이겨내야 하는 대상 일 뿐 편하지는 않았다. 포항에서는 실제로, 바다 서핑을 시도했었다. 그러나 포항까지 가기도 만만치 않았고, 그와 더불어 실제 파도의 공 포는 편안해지는 데에 꽤 시간이 필요했다.

이런 바다가 무섭다면 랜드서핑 보드는 탁월한 대안책이다. 랜드서핑 보드는 하체의 힘도 중요하지만 밸런스, 즉 균형감각이 절대적이다. 그 균형감각으로 좌우 흔들며 나아간다면 꽤 재밌는 스포츠 운동이 된다.

세상에 다양한 운동이 존재하고 다양한 정보가 범람한다. 이에 나만의 길을 찾고 작은 용기만 있다면, 나는 그 어떠한 운동도 해낼 수 있는 사람임을 의심치 말자.

▲ 물이 무서워도 꾸준히 했다. 그게 용기였다.
랜드서핑 역시 꾸준히 했다. 그게 용기였다. ▼

▲ 수험생 생활이 길어지면 등에 살이 찌기 쉽다. 등 운동을 가장 좋아했다.
등이 굳으면서 같이 말리기 쉬운 전면 어깨 운동도 자주 했다. ▼

규칙적이고 공개된 장소의 확언

'아우, 다이어트 글에서 무슨 명상이고 확언이야. 운동이나 알려주고 식단 정보나 주지'

라는 생각이 들었다면

— 삐익—

당신의 그 생각은 도킹 되었습니다.

네, 맞습니다. 식단과 운동이 가장 중요합니다.

그러나 식단과 운동의 비율이 높아야한다 것이지, 마음가짐이 없으면 다이어트는 완성되지 않는다. 건강한 정신을 사전에 준비하지 않으면 다이어트가 너무 어려워진다.

— 새해 버킷리스트 1위: 다이어트

우리가 왜 반복적으로 다이어트를 시도하고 있다고 생각하는가? 바로 마음을 먹기가 어렵기 때문이다.

운동과 식단을 '메인 음식 재료' 라고 비유하자. 이와 더불어 수면시간이나 긍정 확언은 소금이나 설탕과 같은 조미료다.

예를 들어, 식당에 돼지국밥을 먹으러 왔다고 상상해보라. 당신 앞에는 뽀얀 사골 국물이 가득 담긴 검정 뚝배기가 있다. 뜨거운 숨결을 내뱉는 수증기가 내 이마에 송골송골 맺힌다. 야무지게 한 숟가락을 뜨니 먹음직스러운 살코기가 듬뿍 올라온다. 그대로 입에 넣는 순간,

– 아우, 밍밍해.

아무 맛도 안 난다. 주변에 소금이나 새우젓, 또는 다진 양념 등이 아무것도 없다.

그렇다. 사골 국물과 고기만 있어도 먹을 수는 있다. 그런 이유로 운동과 식단만 있어도 살은 빠질 수 있다. 그런데 소금이나 새우젓, 다진 양념 없이 즐겁게 먹을 수 있겠는가?

다이어트도 마찬가지다. 충분한 수면이나 자기 확언이 없이는 살빼기도 어려울 뿐더러 다이어트가 재밌진 않을 걸?

2018년 6월 14일

– 나는 날마다 날마다 모든 면에서 점점 더 좋아지고 있습니다. 나는 한 팔에 감기는 잘록한 허리와 선명한 복근, 세퍼레이션이 잘 드러나는 힙과 어깨 라인을 가지고 있습니다. 나는 푸른 바다를 닮은 비키니를 입고, 싱그러운 미소를 뽐내며 무대를 즐겁게 누빕니다. 나의 포징은 자연스럽게 연결되고, 워킹은 당당하며 보는 이들의 시선을 단번에 사로잡습니다.

2018년 6월 15일

– 나의 몸은 근육이 잘 차서 옆으로 와이드합니다. 그러나 체지방

은 쪽 빠진 상태라 앞뒤로는 매우 얇습니다. 나의 허리는 한 손에 잡히고, 내 어깨는 탄탄합니다. 나는 푸른 오션블루 비키니를 입고, 싱그러운 매력을 뽐내며 무대를 준비합니다. 구두를 신고 포장하는 나는 너무나 즐겁고, 내 무대의 완성도는 날마다 날마다 점점 더 좋아집니다.

위 2개의 기록은 '꿈 노트'라는 이름으로 내가 매일같이 작성했던 인스타 게시물의 내용 중 일부이다.

― 이게 뭐 어쩌라고?

싶은가? 결과를 들으면 '어쩌라고' 생각이 바뀔 것이다.

나는 하루도 거르지 않고 매일 꿈 노트를 썼다. 그리고 묵묵하게 썼던 글을 인스타에 업로드했다. 매일 하니까 꿈 노트를 쓰는 것은 내 생활 습관 중 일부가 되었고, 왠지 저 문구 그대로가 '나 자신'인 것처럼 느껴졌다.

그러다보니 내가 썼던 꿈 노트대로 꿈이 이뤄졌다. 꿈 노트를 썼을 초기에는 그냥 일반인의 몸이었다. 굳이 말하지 않으면 운동하는 사람인지 모를 그런 몸. 따라서 저 문구가 터무니없이 높은 목표처럼 보였다.

그러나 결과는 달랐다. 꿈 노트의 문구들을 전부 이루었다. 실제로 푸른 비키니를 입었고, 양 옆으로 근육이 잘 찬 몸으로 만들었다. 체지방이 쪽 빠진 상태라 몸통 앞뒤로는 얇으니 저 꿈 노트가 그대로 실현된 것이다. 무엇보다도 모든 무대를 떨지 않고 즐겼다. 내가 매일 썼던 '즐겁다' 라는 형용사대로 이루어졌나.

시작은 지금의 나를 사랑스러워하고, 만족하는 방법으로 자기 긍정 확언을 하는 것이다. 내가 꿈꾸는 구체적인 내용을 규칙적이고 공개된 장소에서 확언한다면 내 꿈의 모양은 더 선명하게 모양을 잡아간다.

열심히 식단하고 운동하는 것도 물론 중요하다. 그러나 나는 이 긍정적인 확언을 반복적으로 진행한 덕분에 꿈에 더 빨리 다다를 수 있었다.

우리의 뇌는 사실과 거짓을 구분하지 못한다. 그래서 허구의 상상을 진실로 인식하는 '리플리 증후군' 이란 병도 있지 않은가.

그렇다면 우리는 무의식에 내가 원하는 꿈을 임의로 심어주면 된다. 지금 우리의 목적은 진실이 아니다. 뇌에 내가 원하는 꿈이 실제로 일어난 일이라고 각인시킬 필요가 있다.

그래서 꿈 노트를 작성할 때는 공개된 장소에서 실제로 일어난 것처럼 상상하며 구체적으로 적는 것이 중요하다. 일부러 과거형 종결 어미를 사용하여 이미 일어난 일인 듯 작성하는 사람도 있다.

어떤 방법을 사용하든 법의 테두리 내에서 꿈꾸는 미래를 구체적으로 그리는 사람은 자신에게 온 기회를 빨리 포착할 수 있다. 그 기회를 판단할 수 있는 눈썰미도 생긴다.

▲ 내가 꿈 꾸던 이미지는 '팜므파탈'이었다.
날씬하지만 근육이 꽉 찬 여성의 모습을 그리며 촬영을 했다.

제10꿀

마침내
내 말을
닮아가는 미래

'긍정의 힘, 감사의 마음' 이란 제목으로 'kbs 생로병사의 비밀' 에서 '마음가짐과 뇌의 상관관계' 에 대하여 방영한 적이 있다.

– 이 프로그램에서 말하는 긍정적인 사람
나쁜 자극이 들어왔을 때 부정적인 사람과는 다른 양상을 보인다고 한다. 뇌의 전전두피질이 활성화되는데, 이 활성화된 부분이 부정적인 감정을 관장하는 부분과 상호작용을 하여 부정적인 감정을 쉽게 극복하도록 돕는다.

즉, 부정적인 자극이 들어오더라도 빠르게 전화위복으로 기회를 만든다.

– 이 프로그램에서 말하는 부정적인 사람
반면에 부정적인 사람은 나쁜 자극이 들어왔을 때 그 감정을 주관하는 부분이 나쁜 자극과 상호작용을 하지 못해 부정적인 감정을 쉽게 극복하지 못하게 된다.

우리는 일상에서 수없이 많은 자극을 접하게 된다. 각자의 환경에 따라 조금씩 다르겠지만 다양한 자극 속에서 살고 있다. 직장 혹은 가정 또는 여러 인간관계에서.

이 중, 부정적인 자극은 신체적으로 영향을 미칠 수 있다.

– 보통 정신이 지치면 몸도 피곤하지 않는가?

부정적인 신호가 감지되는 순간, 이를 빨리 끊어버릴수록 긍정의 힘으로 나아갈 수 있게 된다.

나도 처음에는

- 몸과 정신이 무슨 상관이야?

라고 생각했다.

몸을 만든다는 것은 그저 운동이나 열심히 하고, 건강한 음식 위주로 먹으며 신경을 쓰면 되는 줄 알았다.

아니었다. 운동을 좀 한다는 사람들의 SNS를 보면 이들이 공통적으로 주장하는 것이 있다.

그건 바로 '멘탈 관리'를 강조한다는 것이다. 나도 처음에 따라하려니 부끄러웠다. 그들을 롤 모델로 삼아서 스스로에게 '낯 간지러운 말'을 하려니 처음엔 무척 부끄러웠다.

운동하는 훈련의 일부와 같았다. 그렇다면 '내가 바라는 삶의 모습을 공개적인 곳에 내뱉고 긍정적으로 쓴다는 것'은 어떻게 하는 걸까.

방법은 매우 간단하다. 일단 뱉어놓고 그 말대로 열심히 훈련하면 된다. 말하는 대로 움직이면 그들의 모습이었다.

그래서 나도 하나씩 해보았다. 내가 바라는 내 몸의 모습부터 그렸다.

― 납작한 배, 빵빵한 엉덩이, 당당한 어깨. 푸른색 비키니.

내가 가장 원하는 몸의 형태부터 내뱉었다. 나는 이미 납작한 배, 빵빵한 엉덩이, 당당한 어깨, 푸른색 비키니를 입고 있는 사람이었다. 지금 모습이 아니어도 상관없다. 내가 운동해서 바로 만들면 되니까.

그러다 보니 운동을 할 때도 무작정 열심히 하는 게 아니었다. 내가 수시로 내뱉은 말, 내가 그리는 삶의 모습에 더 집중하며 운동을 하였다.

나는 빵빵한 엉덩이를 원하니까 옆 허벅지에서 대둔근만 분리해서 자극을 줬다. 그리고 세상 귀찮은 복근 운동도 여러 루틴을 만들어서 더 집중하였다. 나는 납작한 배를 원하니깐.

내가 내뱉었던 문장들, 내가 그리던 모습은 무의식으로 문득문득 떠올랐다. 운동을 하다보면 근육 피로도가 올라가서 정신이 혼미해지고 힘이 들 때마다 무의식에 있던 문구들이 생각났다.

나는 여기서 자신감이 생겼다. 뜬금없이 발현되는 이 무의식들이 '진짜 되구나'를 느꼈다.

― 아, 정말 원하는 모습대로 말하면 그 방향대로 살게 되구나.

나는 그다음 문구로 관객들을 떠올렸다. 내 몸을 보고 환호하는 사람들의 모습을 자주 그렸다.

– 내 당당한 포즈. 환호하는 관객들.

그 덕분이었는지 대회당일, 압도적인 무대의 크기를 보고 정말 떨렸는데도 즐길 수 있었다. 즐기고 웃으며 무대에 올랐다.

체육인이 아닌 일반인이 운동하고 준비하여 올라 간 낯선 무대. 그곳에는 아는 사람 하나 없었다. PT가 아니었으므로 200km가 넘는 서울까지 헬스장 트레이너를 모시고 오기도 미안했다.

그래도 이상하게 웃음이 계속 나왔다. 물론 이 경기만 끝나면 달달한 크리스피 도넛과 시원한 포카리 스웨트를 먹을 수 있다는 즐거움도 있었다.

그러나 그것보다는 내가 생각하지 않으려고 해도 내 머리에는 자동으로 떠오르는 장면들이 있었다. 그건 바로, 그동안 내가 그려 온 무대였다. 그 모습들이 자꾸만 떠올랐다.

포즈가 너무나 당당했다. 그리고 관객과 기자들이 내게 몰려와서 사진을 찍었다.

아, 무의식을 만들 때, 하나 놓친 게 있긴 하다. 키가 170이 넘는 나는 하이힐을 신을 일이 거의 없었다. 쭉쭉 뻗는 다리로 멋진 모델 워킹을 하는 것도 꿈 노트에 넣었어야 했는데, 그건 생각하지 못해서 구두 신은 걸음걸이가 다소 어색했다.

아무렴 어때. 내가 직접 그리고 상상했던 모습은 불쑥불쑥 튀어나와 순간의 나를 만들었다.

미래의 내 모습을 만드는 데에 과거는 크게 중요하지 않다. 지금부터 열심히 하면 되니까.

그러나 현재는 미래의 내 모습이 될 수도 있다. 내가 미래를 선명하게 생각할수록, 마침내 내 말을 닮아가는 미래를 살게 될 것이다.

– 재도 하는데, 내가 못할 게 뭐가 있는가?

지금 당장 펜이나 키보드를 꺼내자.

그리고 내가 매일 볼 수 있는 공간, 이왕이면 공개될 수 있는 공간에 내가 꿈꾸는 모습을 한 문장씩 적어보자. 그게 어렵다면 단어나 구절로 적어도 좋다. 처음이 어렵지, 쓰다보면 짧은 글도 구체적으로 바뀌기 마련이니깐.

처음엔 조금 민망하고 자뻑같아 보여도, 하면 된다. 나는 내가 그린 꿈을 닮은 사람으로 곧 살게 될 것이다.

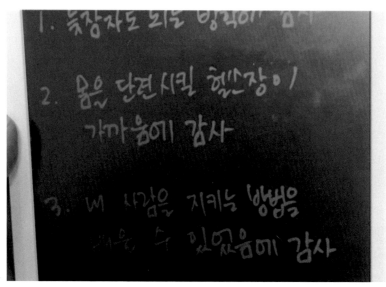

1. 통장자도 되는 방식이 감사

2. 몸을 단련시킬 헬스장이 가까움에 감사

3. 내 사랑을 지키는 방법을 배울 수 있었음에 감사

▲ 매일 '감사일기'를 쓰며 가진 것의 소중함을 일깨웠다.
달력에는 내가 원하는 모습을 상상하며 매일 기록했다. ▼

27
나는 애교 있고
귀여우며
사람의 미소를
이끄는 사람이다.

28

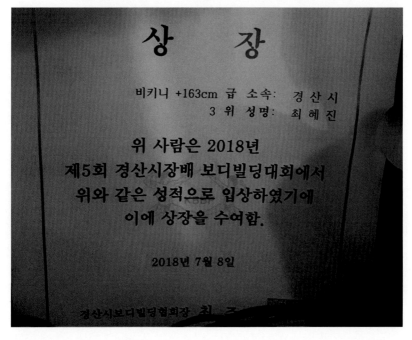

- 기억을 바꾸는 연습
- 하다보면 좋아진다. → 그래, 해보면 되지
∨ 기억은 자극적인 것, 처음의 것을 좋아합니다.
∨ 사람은 믿고 보여하는 것을 믿는다
↳ 기억을 바꿔주기 2019. 1. 11. 14:57:09
건강한 음식 사랑해주기, 긍정적 측면 집중
∨ 먹는 순간, 먹고 있는 과정을 상상하기

▲ 몸을 단련하는 만큼, 심리적인 면도 충족하기 위해 꾸준히 공부했다.
처음엔 '이게 될까?' 하던 일들이 하나씩 실현되었다. ▼

상 장

비키니 +163cm 급   소속: 경 산 시
3 위 성명: 최 혜 진

위 사람은 2018년
제5회 경산시장배 보디빌딩대회에서
위와 같은 성적으로 입상하였기에
이에 상장을 수여함.

2018년 7월 8일

경산시보디빌딩협회장 최 ㄱ

쟤도 하는데, 내가 못할 게 뭐가 있는가?
모두 '파이팅', '할 수 있다'!